2歳の えほん百科

講談社の 年齢で選ぶ知育絵本

講談社

2歳のえほん百科
もくじ

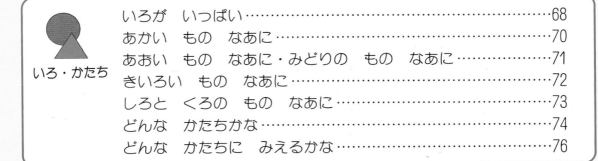

いつも　なかよし

ぼくたち　なかよし，いつも　いっしょ。
たべるのも　ねるのも　いっしょだよ。

いぬ

おいしいよ。
おいしいね。

あっちには
なにが
あるのかな。

なかよく
おひるね。
ぐうぐう
すやすや。

あそぶの　だいすき

ねえねえ，なに　して　あそぶ？
おいかけっこ？　それとも　おにごっこ？

ねこ

みて，みて！
こんなに
のぼれたよ。

おうちのかたへ

子ねこは生まれて1か月くらいたつと，動くものに興味をもつようになります。好奇心も旺盛で，なんにでも積極的に触れてみようとする行動は2歳の子どもとそっくり。「このねこちゃん，何をしているのかな？」と話しかけ，いっしょに楽しみましょう。

「ねえ，おすもう
しようよ。」
「よーし，
まけないぞ！」

くんくん。
これ，
なあに？

にゃあ，にゃあ，
だれか
ぼくと　いっしょに
あそぼうよ！

ちいさな　おともだち

どれも　みんな，おうちで　かう　どうぶつだよ。
やさしく　してね，かわいがってね。

ハムスター

でて　おいでよ。
いっしょに
あそぼうよ。

おうちのかたへ

1歳半から2歳くらいになると，子どもは小さな動物やぬい
ぐるみをかわいがる気持ちをもちはじめます。ここでは姿もし
ぐさもかわいらしく，飼いやすい小動物をとりあげました。

うさぎ

たんぽぽの　はっぱ
おいしいね。
みんなで　なかよく
たべようね。

しまりす

からから,
かしゃかしゃ,
うんどうするの
だいすき！

ライオン

おおきな　くちで　がおーっと　ほえるよ。
するどい　きばが　つよそうだね。

おうちのかたへ

　肉食動物の代表としてライオンをとりあげました。左ページの写真では肉食動物特有の鋭いきばがよくわかることと思います。右はおすとめすの写真です。ライオンの特徴といえばたてがみですが、これは成長したおすにしかありません。機会があれば、動物園などでぜひ実物を見せたいものです。

なかよし ライオン,
ならんで のんびり。
たてがみの ないのが
めすライオンだよ。

ぼくも ライオンだよ,
がおーっ！

11

ぞう

あかちゃんに　あわせて　ゆっくり　あるく，
ぞうの　おかあさん　やさしいね。

おうちのかたへ

　ぞうは陸上の動物のなかでもっとも大きく，きりんはもっとものっぽの動物です。どちらも子どもの人気者。
ここではいずれも親子の写真を選んでいます。これだけ対照的な動物でも母と子の接し方はよく似ています。

きりん

くびの　ながあい
きりんの　おかあさん。
あかちゃんの　まわりを
みはって　います。

13

パンダ

ささの　は　むしゃむしゃ。
おててを　じょうずに
つかって　たべるよ。

パンダちゃん
だーいすき。

コアラ

きのぼりと　おんぶが　だいすき。
たかい　きの　うえで　なにを
みてるの。

カンガルー

あかちゃんは　おかあさんの
ふくろの　なか。
ちょこんと　でた　かおが
かわいいね。

とり

きれいな とり，めずらしい とり，
おにわに くる とりも いるね。

いえで かう とり

せきせいいんこ

●あかカナリア

カナリア

●しろぶんちょう

●さくらぶんちょう

ぶんちょう

じゅうしまつ

おうちのかたへ

家で飼える鳥と，屋外で見られる鳥の仲間です。見たことのある鳥はどれか，お子さまと探してみましょう。色の違い，鳴き声など，それぞれの特徴も，すこしずつ教えていきたいですね。

そとで みる とり

すずめ

●どばと

はと

●はしぶとがらす

からす

17

◖めだかの がっこう◗

めだかの　がっこうは　かわの　なか
そっと　のぞいて　みて　ごらん
そっと　のぞいて　みて　ごらん
みんなで　おゆうぎして　いるよ

さかな

おおきな　さかな，ちいさな　さかな。
みた　こと　あるのは　どれかな。

めだか

きんぎょ

めだかの　がっこうの　めだかたち
だれが　せいとか　せんせいか
だれが　せいとか　せんせいか
みんなで　げんきに　あそんでる

めだかの　がっこうは　うれしそう
みずに　ながれて　つーい　つい
みずに　ながれて　つーい　つい
みんなが　そろって　つーい　つい

茶木　滋　作詞
中田喜直　作曲

めだかの　がっこうは　かわのなか
そっとのぞいて　みてごらん　そっとのぞいて
みてごらん　みんなでおゆうぎしているよ

おうちのかたへ

　よく知られている童謡です。お子さまに歌ってあげましょう。
下の絵でめだかはどれか教えたり，家で飼っている魚があれば
見くらべてみても楽しいでしょう。

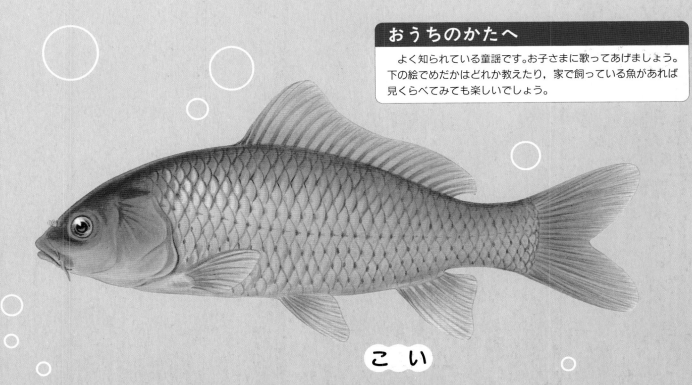

こ　い

むし

ちからもちの　かぶとむし。きれいな
ちょうちょう。みた　こと　あるかな。

かぶとむし

せみ

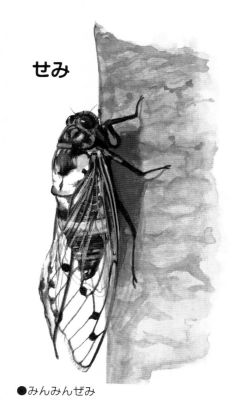

●みんみんぜみ

くわがたむし

●みやまくわがた

てんとうむし

●ななほしてんとう

20

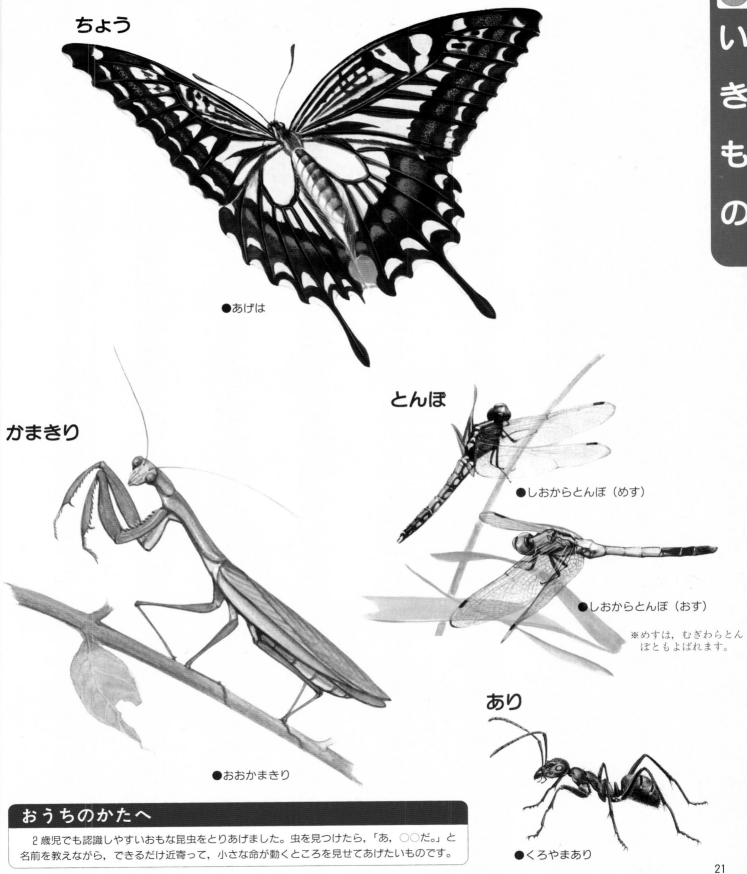

ちょう

●あげは

かまきり

●おおかまきり

とんぼ

●しおからとんぼ（めす）

●しおからとんぼ（おす）

※めすは，むぎわらとん
　ぼともよばれます。

あり

●くろやまあり

おうちのかたへ

　２歳児でも認識しやすいおもな昆虫をとりあげました。虫を見つけたら，「あ，○○だ。」と
名前を教えながら，できるだけ近寄って，小さな命が動くところを見せてあげたいものです。

21

はな

おはなが　いっぱい，きれいだね。こうえんで
さいて　いるかな。おにわで　さいて　いるかな。

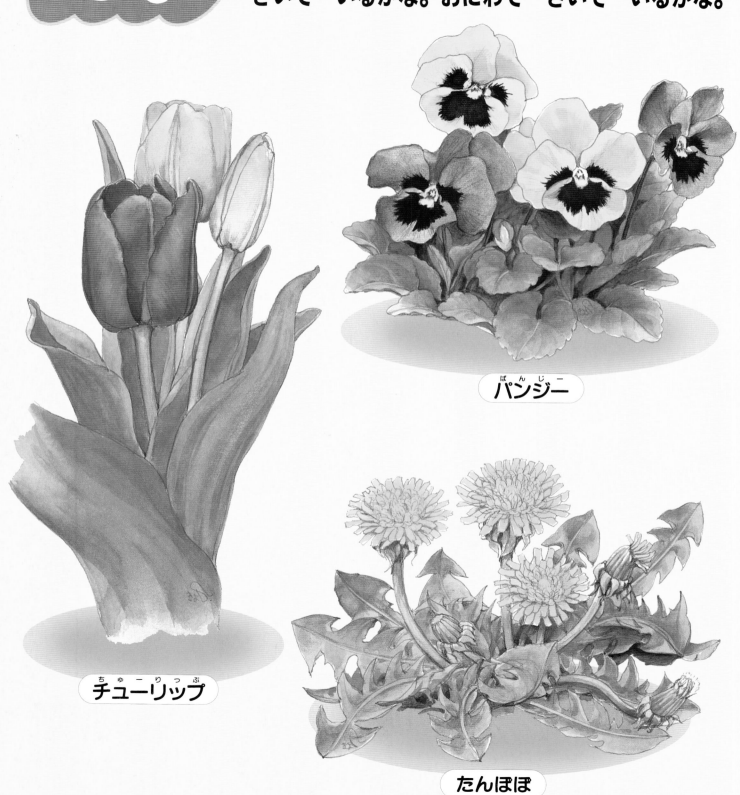

パンジー

チューリップ

たんぽぽ

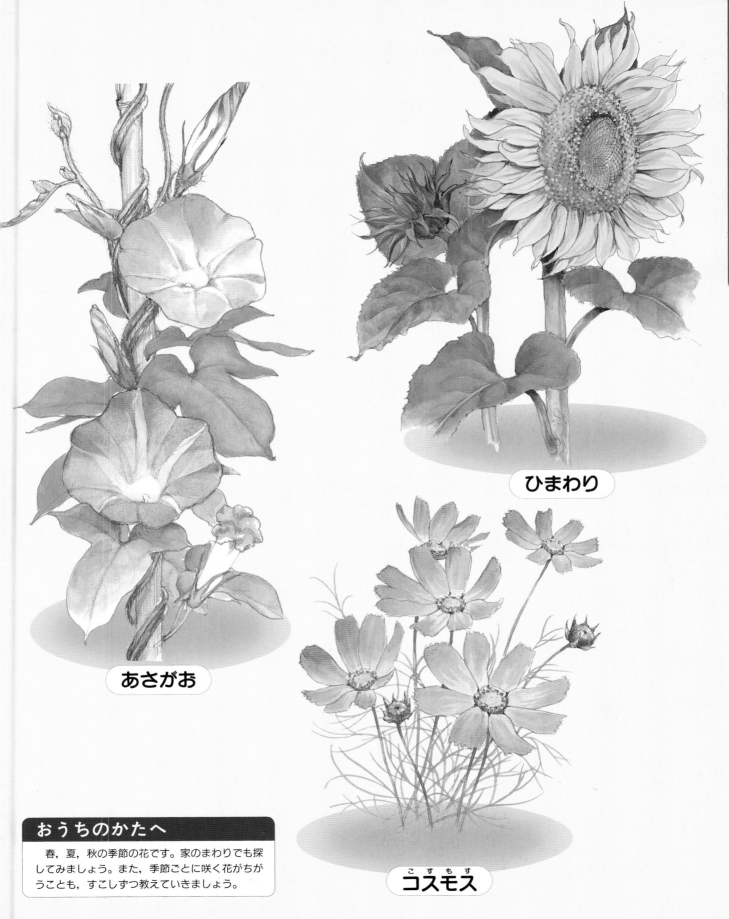

ひまわり

あさがお

コスモス

おうちのかたへ

　春，夏，秋の季節の花です。家のまわりでも探してみましょう。また，季節ごとに咲く花がちがうことも，すこしずつ教えていきましょう。

チューリップ

さいた　さいた
チューリップの　はなが
ならんだ　ならんだ
あか　しろ　きいろ
どの　はな　みても
きれいだな

近藤宮子　作詞
井上武士　作曲

さいた　さいた　チューリップの　はなが

ならんだ　ならんだ　あかしろ　きいろ

どの　はな　みても　きれいだ　な

おうちのかたへ

2歳の子どもにも親しみやすい童謡です。絵を見ながらお子さまといっしょに歌ってみてください。ほんもののチューリップの花を見る機会をつくれたらいいですね。

さんりんしゃ

ぼくは　さんりんしゃで
きこ　きこ　きこ。
どこへ　あそびに
いこうかな。

じてんしゃ

おかあさんは　じてんしゃで
おかいもの。
ちりん　ちりん，
いって　きまーす。

協力：博品館，丸石自転車

おうちに ある くるま

いろんな くるま かっこいいね。
みた こと あるかな, のった こと あるかな。

おうちのかたへ

　最近は，一般家庭向けにもいろいろなタイプの車が登場しています。ここでは，形の違う3種類の車をとりあげています。「これはうちの車と似ているね。」「これは○○ちゃんのおうちにあるね。」などと話してみましょう。

みんなを まもる くるま

かじだ！ いそげ，しょうぼうしゃ。
パトカーも，きゅうきゅうしゃも，
みんなを まもる ため，おおいそがし。

しょうぼうしゃ

●はしごしゃ

おうちのかたへ

　サイレンの音とともに，屋根のライトを点滅させて走りぬけるこれらの車は，子どもたちのあこがれです。どんな仕事をしているのか教えてあげてください。ちなみにサイレンは，消防車は「ウーウー」，パトカーは「ファンファン」，救急車は「ピーポー」と，それぞれ異なる音を鳴らします。ミニカー遊びなどのとき，参考にしてください。

パトカー

きゅうきゅうしゃ

おきゃくさんを はこぶ くるま

おきゃくさんを のせて,
まいにち はしる バスや タクシー。
のった こと あるかな?

バ ス

タクシー

おうちのかたへ

　働く車のなかでもっともなじみ深く，実際に利用する機会も多いのが，バスやタクシーなどの人を運ぶ車でしょう。どちらも地域や会社によって，さまざまな色や形があります。町中で実物を見かけたら，「あっ，バスが走ってるね。」などと声に出して語りかけ，子どもが興味をもつきっかけをつくりたいものです。

ちからもちの　くるま

ぐおーん，がががが。
こうじげんばの　くるまは，
はたらきもので　ちからもち。

ブルドーザー

おうちのかたへ

　工事用の作業車には，用途ごとに多くの種類があります。そのなかでも代表的なものとして，ブルドーザーとショベルカーをとりあげました。工事現場でしか見ることができないので子どもにはなじみが薄い車ですが，たいせつな働きをしていることを教えていきましょう。

ショベルカー
しょべるカー

しんかんせん

しんかんせんは　でんしゃの　おうさま。
かっこいいね，のって　みたいね。

こまち（Ｅ３けい）

●ＪＲ東日本
走行区間：東京～秋田

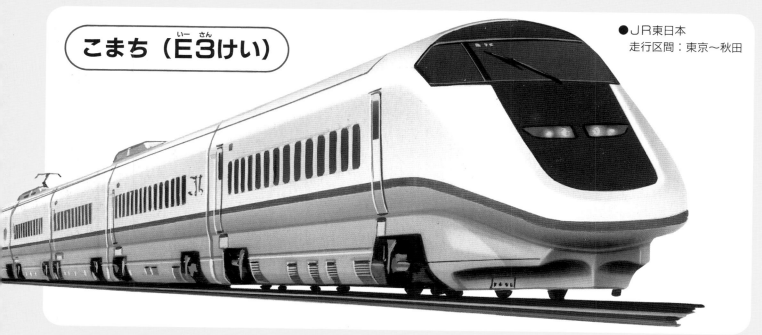

あさま
（Ｅ２けい）

●ＪＲ東日本
走行区間：東京～長野

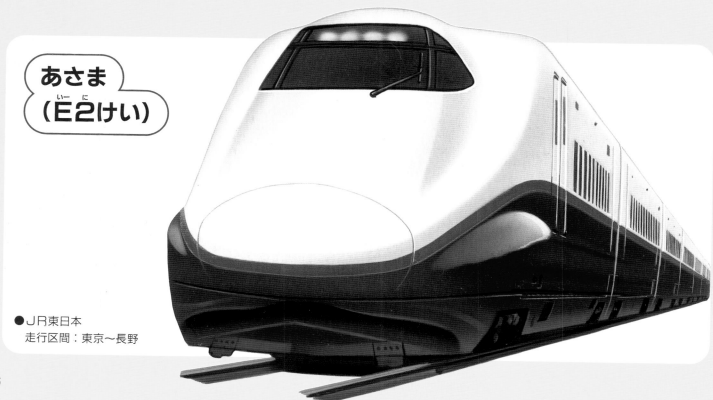

おうちのかたへ

　新幹線にも，いろいろなタイプの車両があります。色や形の違いを話してみましょう。なお，「〜けい（系）」というのは，車両の構造上の違いを示した形式名です。また，どれも先頭が細い流線形をしているのは，空気の抵抗を小さくし，速く走るためです。

マックス やまびこ （E4けい）

●JR東日本
走行区間：東京〜盛岡

のぞみ （700けい）

●JR東海・西日本
走行区間：東京〜博多

37

とっきゅうでんしゃ

かっこいい　でんしゃ，きれいな　でんしゃ，
どこまで　いくのかな。

オーシャンアロー

●JR西日本
走行区間：京都〜新宮

●JR西日本
走行区間：東京〜出雲市

サンライズいずも

アルファ・リゾート21

おうちのかたへ

左の二つがJR，右の二つが私鉄の特急電車です。それぞれの電車の色や形を見比べてみてください。新幹線とはまた違う，カラフルで個性的なデザインの車体は，お子さまの興味をふくらませてくれるでしょう。

●伊豆急行
　走行区間：熱海〜伊豆急下田

ラピート

●南海電気鉄道
　走行区間：なんば〜関西空港

そらの のりもの

びゅーん，たかい そらへ ひとっとび。

りょかくき

ヘリコプター

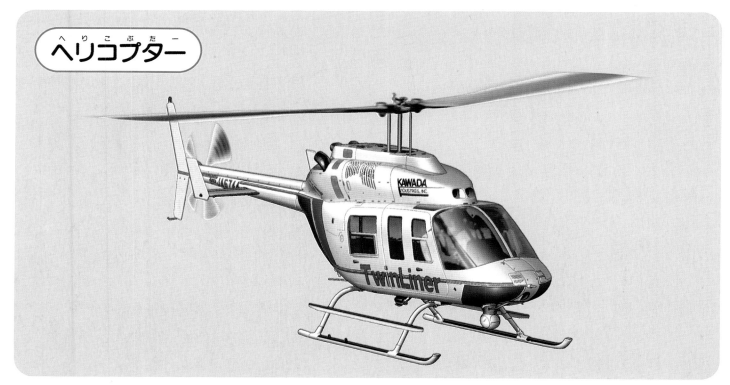

うみの　のりもの

ひろい　ひろい　うみの　たびに　しゅっぱつ！

きゃくせん

ヨット

おうちのかたへ

　飛行機や船は，2歳児ではまだ実物を目にすることは少ないでしょう。絵本で名前を教え，「どこに行くのかな。」などと，いっしょに想像をふくらませましょう。実際に見たり乗ったりする機会があれば，その大きさや特徴について話してみましょう。

おおきな くりの きの したで

おおきな くりの きの したで
あなたと わたし
なかよく あそびましょう
おおきな くりの きの したで

あそびかた

おおきな くりの	きの	した	で	あなたと
両手を上に	頭の上に	肩にのせる	下にさげる	相手を指さす

作詞者不祥
外国曲

おおきなくりの きのしたで
あなーたと わたし
なかよく あそびましょう
おおきなくりの きのしたで

おうちのかたへ

広く親しまれている手遊び歌です。お子さまといっしょに歌いながら,体を動かしてみてください。速く歌ったり,遅く歌ったり,変化をつけても楽しいですね。

わたし

自分を指さす

なか

右手を胸に

よく

左手も胸に

あそび

首を右にふる

ましょう

首を左にふる

おおきな
くりの
きの
したで

↓

くり返す

43

いただきます

ごちそう　いろいろ　おいしそうだね。
たべた　こと，ある？　たべたい　もの，どれ？

ハンバーグ

ロールパン

しょくパン

オムレツ

うどん

ごはん

コロッケ

やさいが　いっぱい

いろも　かたちも　いろいろだね。
すきな　やさいは　どれかな。

ピーマン

トマト

ほうれんそう

きゅうり

おうちのかたへ

　身近な野菜の名前をおさらいしてみましょう。買い物や料理の
ときなど，折にふれほんものを見せる機会もつくりたいものです。
また，食事のときに，「にんじん，おいしいね。」などと，素材を
きっかけに話をするのも楽しいですね。

かぼちゃ

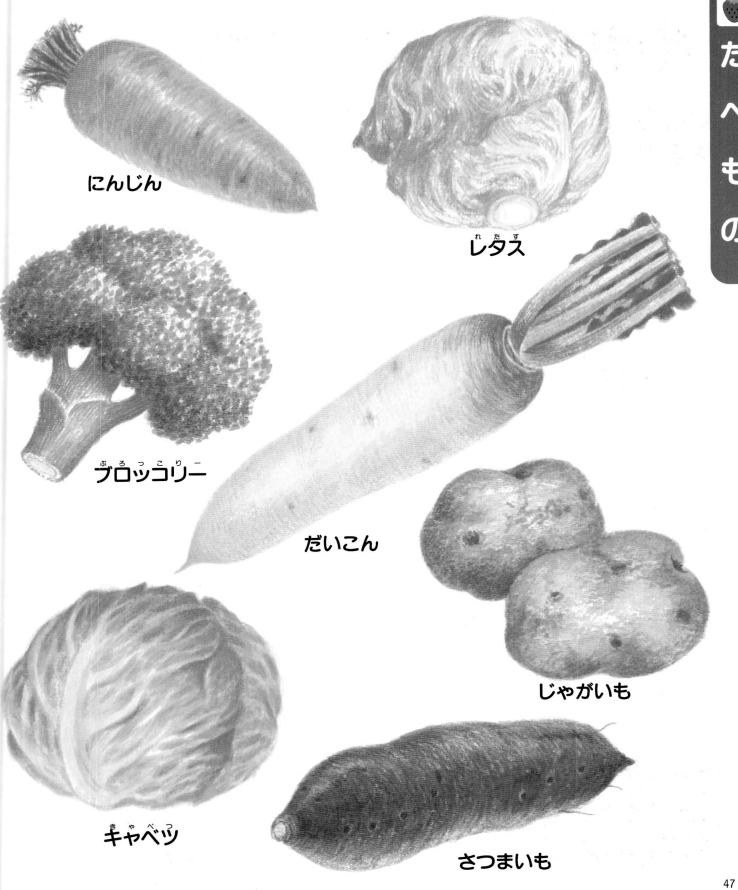

にんじん

レタス
（れ た す）

ブロッコリー
（ぶ ろ っ こ り ー）

だいこん

じゃがいも

キャベツ
（きゃ べ つ）

さつまいも

おやつは　なあに

くだもの

きょうの　おやつは　なにが　いい？
くだものかな，おかしかな。

りんご

バナナ

いちご

みかん

もも

おかしと デザート

せんべい

クッキー

アイスクリーム

ゼリー

プリン

おうちのかたへ

　好きなもの，知っているものなど，いろいろな問い方で食べ物への理解を深めましょう。この年齢の子どものおやつは補食の意味あいも強いので，一日の食事とのバランスを考えて選びたいもの。虫歯など健康面のことも考えて，与えすぎには注意が必要ですが，「食」への興味を促すきっかけになればいいですね。

かお

かおの　なかには　なにが　あるかな？

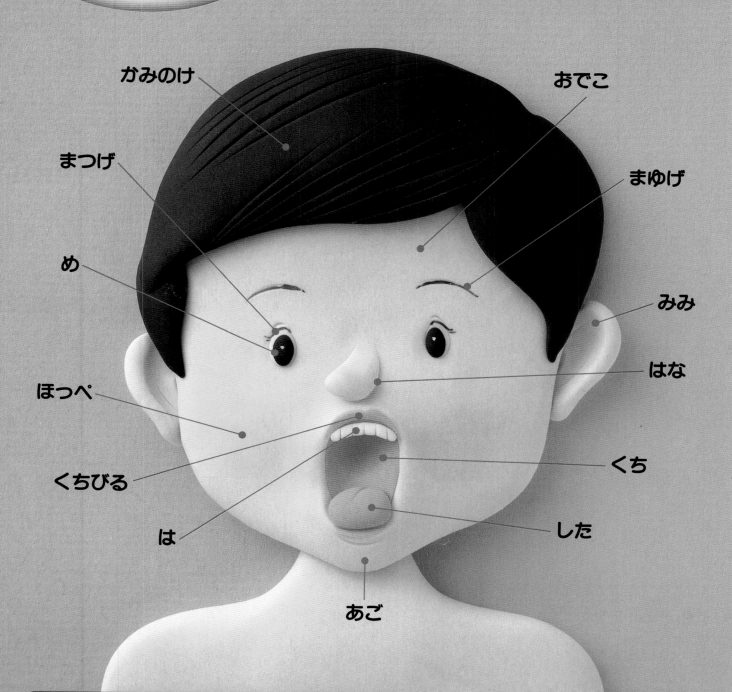

かみのけ

おでこ

まつげ

まゆげ

め

みみ

はな

ほっぺ

くちびる

くち

は

した

あご

おうちのかたへ

　お子さまにも覚えやすい，顔のおもな部分や体の部位の名称をとりあげています。それぞれの場所を，おうちのかたが実際にお子さまの顔や体で示してあげると，より理解しやすいでしょう。

からだ

からだの　なまえを　いって　みよう。

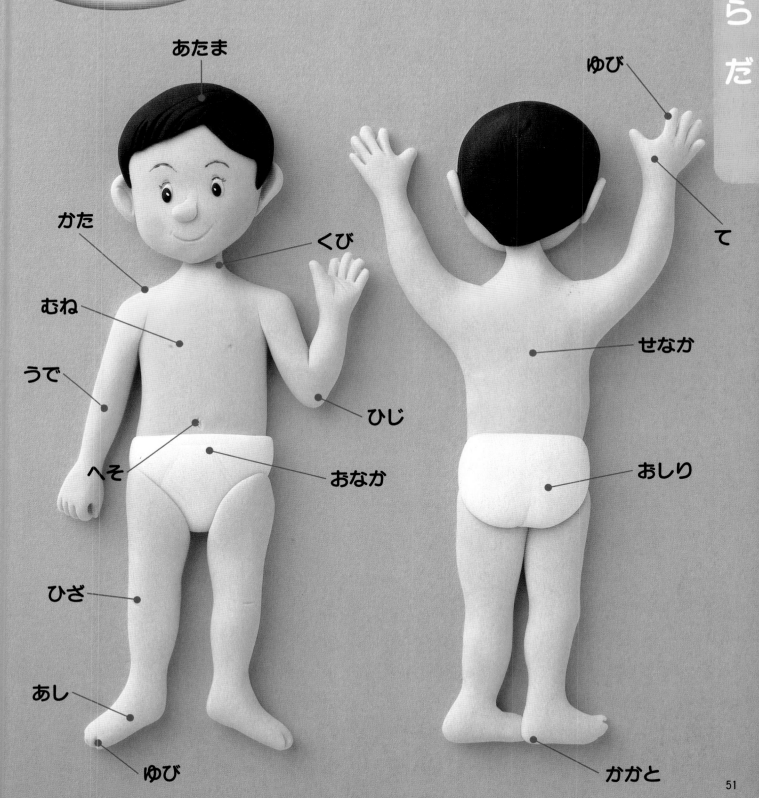

あたま

ゆび

かた

くび

て

むね

うで

せなか

へそ

おなか

ひじ

おしり

ひざ

あし

ゆび

かかと

51

かぞく

おうちに　いる　ひと，だれかな。
なんて　よんで　いるかな。

おかあさん

おうちのかたへ

自分にはどんな家族がいるか，絵を見てあてはめながら考えさせてみ
ます。「おじさん」「おばさん」「いとこの○○ちゃん」など，親戚の呼び
方も，具体的な例をひきながら，すこしずつ教えていきましょう。

おばあさん

あかちゃん

おじいさん

ぼく（わたし）

53

あいさつできるかな

あさ　おきたら　なんて　いう？
ごはんの　まえには　なんて　いう？

おはよう ございます。

ごちそうさま。

いただきます。

ただいま。
おかえりなさい。

いって きます。
いってらっしゃい。

おやすみなさい。

なにを　きようかな

シャツ

くつした

パジャマ

ズボン

パンツ

ブラウス

きょうは　なにを　きようかな。
おうちに　いる　とき　きるのは　どれ？
おでかけする　とき　きるのは　どれ？

ぼうし

ジャンパー

セーター

くつ

スカート

てぶくろ

おうちのかたへ

　2歳くらいになると，自分の着るものに興味をもちはじめます。毎日着替えるときに，衣類の名前をひとつひとつ教えましょう。それぞれ，どういうときに着るのかも話してあげると，認識が深まるでしょう。

おうちに ある もの

テレビ

でんわ

テレビの リモコン

ほん

えほん

とけい

いす

テーブル

おうちの　なかに　ある　ものだよ。
なにに　つかうのかな。

ちゃわん

カップ

スプーン

おさら

フォーク

はブラシ

タオル

せっけん

SOAP

SHAMPOO

シャンプー

れいぞうこ

おうちのかたへ

2歳くらいの子どもは，家の中で目についたものの名前を知りたがります。好奇心の芽生えをたいせつにし，質問にはできるだけ答えてあげたいですね。この絵にかかれていないものも，お子さまが興味を示したら，そのつど教えてあげましょう。

おもちゃ いっぱい

クレヨン

つみき

じどうしゃ

らっぱ

ぬいぐるみ

ままごとどうぐ

おもちゃが いっぱい，なに して あそぶ？
おままごとかな，ボールなげかな。

にんぎょう

たいこ

ボール

でんしゃ

シャベル

バケツ

おうちのかたへ

家にあるもののなかで子どもがいちばん好きなものといえば，やはりおもちゃでしょう。
実際に持っているものと絵をくらべてみたり，好きなおもちゃをいってみたりしながら，
ひとつひとつの名前を教えていきましょう。

なにを　して
あそぼうかな

おえかき

ぶらんこ

おへやで　あそぶ？
それとも　こうえん？
どんな　あそびが　あるのかな。

おうちのかたへ

　室内と屋外での代表的な遊びです。2歳ぐらいでは，まだ，ひとり遊びが主になります。絵を見て，「何をして遊んでいるのかな。」などときいてみましょう。ほかにどんな遊びがあるか話しあってみてもいいですね。

すなあそび

すべりだい

ひとりで　できるかな

やって　みようね，はみがき，トイレ。
きっと　できるよ。がんばれ，がんばれ。

うんち，おしっこ，
トイレで　できるかな。

ひとりで
おきがえ，
できるかな。

あそんだ　あとは，
おかたづけできるかな。

おうちのかたへ

　いままで手をかしていたことが，ひとりでできるように絵を見て教え，実践してみましょう。最初はなかなか思うようにできないかもしれません。子どもの自立心の芽生えをたいせつにし，すこしずつできるようにしていきたいですね。

ごはんの　あとは，
はみがきできるかな。

そとから　かえったら，
てを　あらえるかな。

うーんと　うんち

さく●さくら　ともこ

① おしりが
むずむずして　きたら
ぱん　ぱん　パンツを
ぱっと　ぬぎ
とん　とん　トイレに
いくんだよ

② うーん　うん　うん
がんばれ　うん
やったよ　でたよ
うんちくん
ほらね　すっきり
いい　きもち

③ おしりも　きれいに
ふけました
おみずを　ながして
じゃ　じゃ　じゃの
じゃあーっ

④ ぱん　ぱん　パンツも
はけたよ　わーい
わすれず　おてても
あらったよ

おうちのかたへ

　トイレの習慣が身につく時期には個人差があります。おうちのかたがあせったり，しかったりしても，なかなかうまくいかないでしょう。絵を見ながらお話しして，「○○ちゃんも，うーんってしてみようね。」などと，お子さまが楽しくトイレに行けるような雰囲気をつくってあげたいですね。

いろが いっぱい

あか・あお・きいろ，なにいろが　すき？
いろんな　いろが　あるんだね。

しろ　　　ピンク（ももいろ）　　　あか　　　ちゃいろ

おうちのかたへ

子どもが認識しやすい色を紹介しています。ご家庭にあるクレヨンなどで、実際の色を見せてあげましょう。また、「○○色の帽子だね。」などと、意識して日ごろの会話のなかにとりいれ、認識を深めていきましょう。

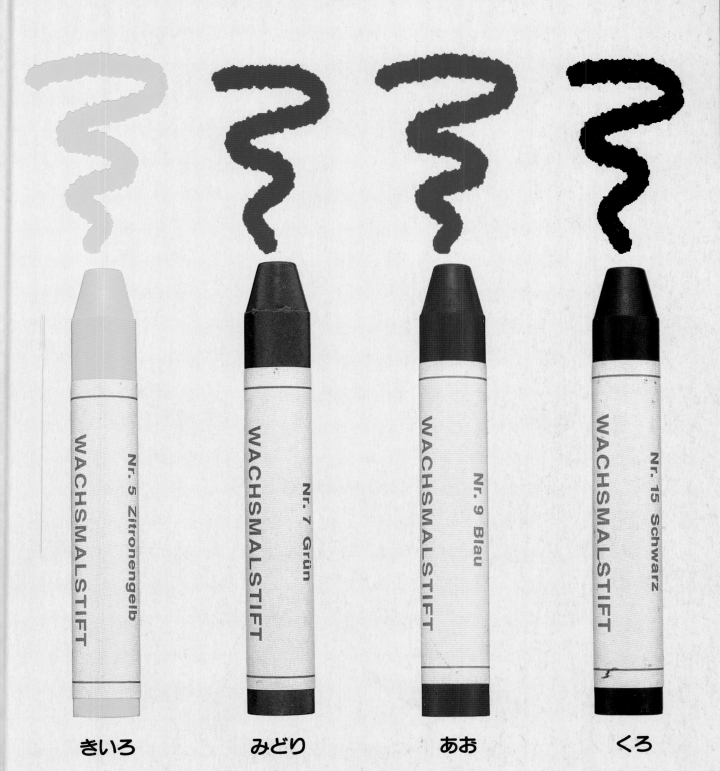

WACHSMALSTIFT Nr. 5 Zitronengelb

WACHSMALSTIFT Nr. 7 Grün

WACHSMALSTIFT Nr. 9 Blau

WACHSMALSTIFT Nr. 15 Schwarz

きいろ　　　みどり　　　あお　　　くろ

あかい もの なあに

まっかな トマト, しょうぼうしゃ。
あかは とっても めだつ いろ。

しょうぼうしゃ

りんご

トマト

ポスト

おうちのかたへ

　赤・青・緑, それぞれの色をもつ代表的なものをとりあげています。お子さまが知らないものはこの機会にその名前を教えましょう。実際に家の中などで, 赤・青・緑のものを探す遊びをすれば, 色を見分ける力が身につくでしょう。

あおい　もの　なあに

そらの　いろ，でんしゃの　いろ。
あおは　きれいだね，かっこいいね。

そら

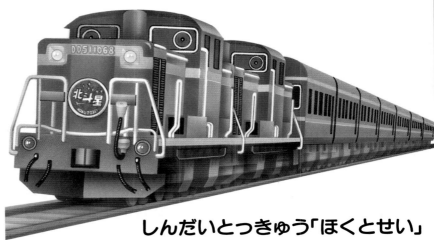

しんだいとっきゅう「ほくとせい」

みどりの　もの　なあに

やさいの　みどり，はっぱの　みどり。
みどりいろって　やさしいね。

ピーマン

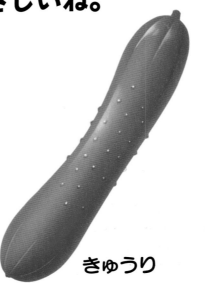

きゅうり

はっぱ

きいろい　もの　なあに

かわいい　ひよこ，おおきな　ブルドーザー。
どっちも　きいろなんだね。

ひよこ

バナナ

レモン

ブルドーザー

おうちのかたへ

明るく目立つ黄色，対照的な白と黒，いずれも生きものから乗りものまでいろいろな種類があります。同じ色でほかにどんなものがあるか，お子さまといっしょに考えてみましょう。

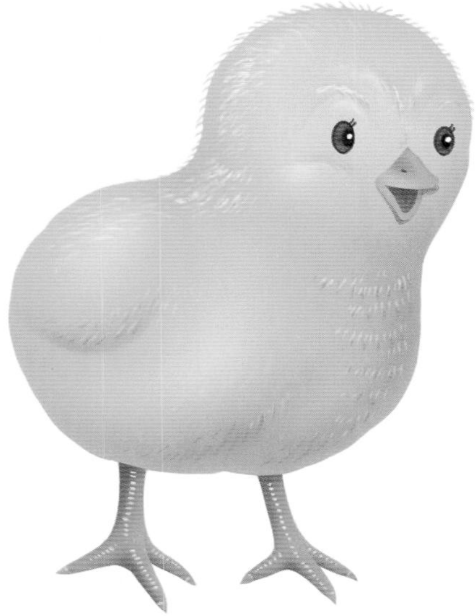

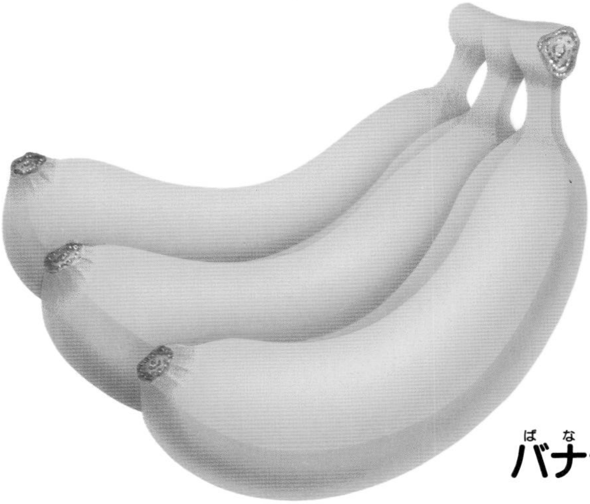

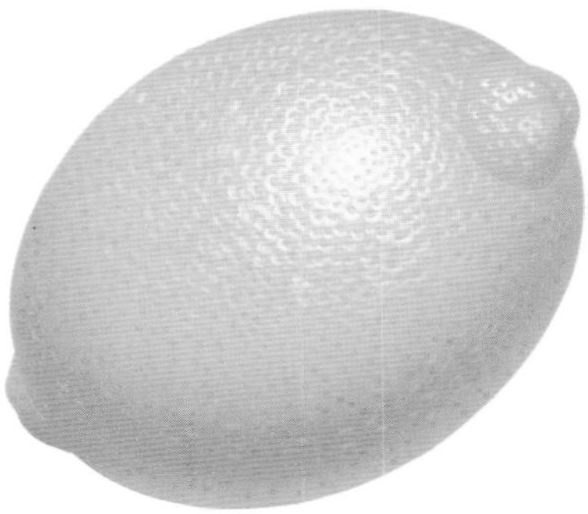

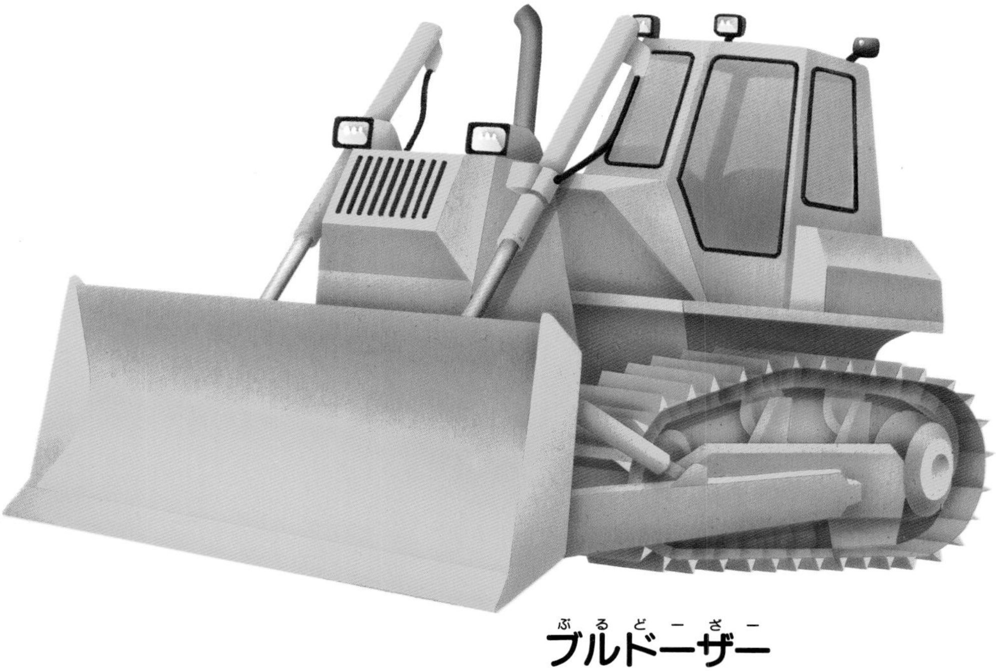

しろと くろの もの なあに

しろくろもようの パンダと ペンギン。
およようふくを きて いるみたい。

パトカー

ペンギン

おにぎり

しまうま

パンダ

どんな かたちかな

まるい もの，しかくい もの，
さんかくの もの，さがして みよう。

せんべい

ビーだま

おさら

まるい もの

おにぎり

テレビ

ハンカチ

ぼくのくれよん

おはなし・え＝長 新太

えほん

しかくい　もの

トライアングル

サンドイッチ

さんかくの　もの

おうちのかたへ

　身のまわりにある，まる，三角，四角のものを紹介しています。まる（円），三角形，四角形は，形を認識するうえで基本となる図形です。ほかにはどんなものがあるか，お子さまと探してみましょう。

協力：ファミリア，ヤマハ，三菱電機

どんな　かたちに　みえるかな

うえから　みると　どんな　かたち？
よこから　みると　どんな　かたち？

| うえから　みると | よこから　みると |

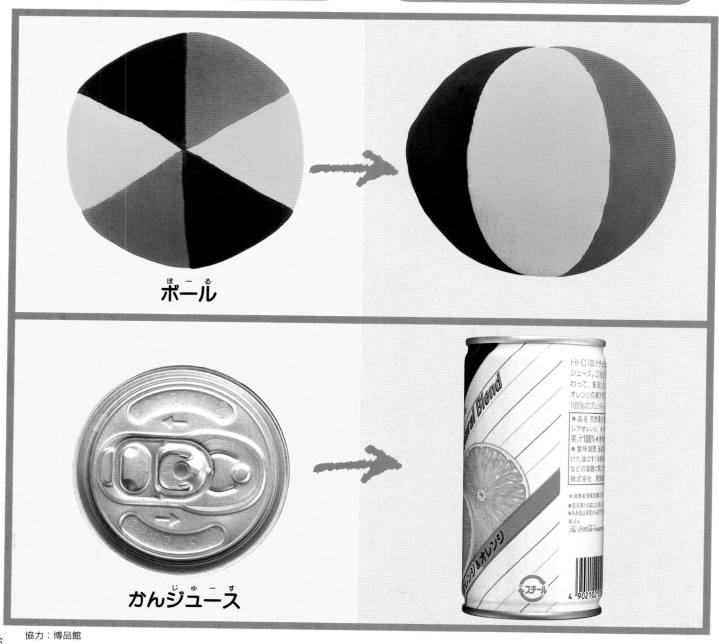

ボール

かんジュース

　協力：博品館

おうちのかたへ

　見る方向によって，形がちがって見えるものをとりあげています。この時期の子どもに，立体の概念を理解させるのは，まだむずかしいでしょう。形がちがって見えることのふしぎさを感じられれば十分です。

うえから みると

よこから みると

カステラ

ショートケーキ

さくいん

●総監修　　　藤永　保（お茶の水女子大学名誉教授〈児童発達心理学〉）

●各監修　　　齋藤　勝（前東京都恩賜上野動物園園長）
　　　　　　　松澤正二（元交通博物館副館長）
　　　　　　　矢野　亮（国立科学博物館付属自然教育園主任研究官）

●指導　　　　阿部直美（乳幼児教育研究所）

●編集・構成　（株）童夢

●装丁　　　　川島健三（水野プロダクション）

●デザイン　　（株）東京日高事務所

●絵・立体製作　いしかわやすし／いそのみつえ
　　　　　　　岡村好文／小倉一郎
　　　　　　　久保田巧／ジャンボ・KAME
　　　　　　　髙野紀子／たかはしきよし
　　　　　　　寺田繁／西内としお
　　　　　　　藤原健一郎／冬野いちこ

　　　　　　　松岡正記／皆川良一
　　　　　　　わたなべちよみ

●撮影　　　　大畑俊男（本社写真部）
　　　　　　　吉岡靖晃（本社写真部）

●ヘア・メイク　つしまみなこ（オールージュ）

●写真提供　　岩合写真事務所
　　　　　　　（株）内山晟動物写真事務所
　　　　　　　三菱電機（株）
　　　　　　　（株）ヤマハ

●協力　　　　（株）博品館
　　　　　　　（株）ファミリア
　　　　　　　丸石自転車（株）

（敬称略／五十音順）

講談社の 年齢で選ぶ知育絵本② 2歳のえほん百科

1998年10月28日　第1刷発行
2015年10月15日　第45刷発行

発行者　　●清水保雅
発行所　　●株式会社　講談社
　　　　　　〒112-8001東京都文京区音羽2-12-21
電　話　　●（出版）03-5395-3534
　　　　　　（販売）03-5395-3625
　　　　　　（業務）03-5395-3615
印刷・製本●共同印刷株式会社